**A volta ao
quarto em
180 dias**

A volta ao quarto em 180 dias

Yuri Al'Hanati

PORTO ALEGRE · SÃO PAULO · 2020

Copyright © 2020 Yuri Al'Hanati

CONSELHO EDITORIAL Gustavo Faraon e Rodrigo Rosp
PREPARAÇÃO Rodrigo Rosp
REVISÃO Meggie C. Monauar e Raquel Belisario
CAPA E PROJETO GRÁFICO Luísa Zardo
FOTO DO AUTOR Murilo Ribas

DADOS INTERNACIONAIS DE
CATALOGAÇÃO NA PUBLICAÇÃO (CIP)

A316v Al'Hanati, Yuri
A volta ao quarto em 180 dias / Yuri Al'Hanati
— Porto Alegre: Dublinense, 2020.
80 p.; 21 cm.

ISBN: 978-65-5553-021-6

1. Literatura Brasileira. 2. Crônicas.
I. Título.

CDD 869.987

Catalogação na fonte:
Ginamara de Oliveira Lima (CRB 10/1204)

Todos os direitos desta edição
reservados à Editora Dublinense Ltda.

EDITORIAL
Av. Augusto Meyer, 163 sala 605
Auxiliadora • Porto Alegre • RS
contato@dublinense.com.br

COMERCIAL
(51) 3024-0787
comercial@dublinense.com.br

I had else been perfect,
Whole as the marble, founded as the rock,
As broad and general as the casing air.
But now I am cabined, cribbed, confined, bound in
To saucy doubts and fears.

- *Macbeth,* **Shakespeare**

9	A cidade que se volta para dentro
13	A distribuição da culpa
17	Viagem à roda do meu quarto
19	O eterno presente
21	As coisas que deixamos para trás
23	Sobre uma bola de poeira encontrada no canto do quarto
27	Sobre a luz do sol que bate na parede da sala
29	Sobre abrir uma garrafa de vinho
33	Sobre o ato de maratonar séries de tevê
37	Sobre um ciclo de máquina de lavar roupa
39	A máquina de fazer finlandeses
43	A panificação da solidão
47	O sono exausto
51	Um mundo de máscaras
55	Sábios e paranoicos
59	Um cotonete no nariz
63	Morte por diversão
65	A carnavalização do novo normal
69	Covid e suas outras vítimas
71	180 dias
75	Posfácio

A cidade que se volta para dentro

Todas as manhãs, notícias avisam a chegada da nova doença. Casos que espocam aqui e ali e imagens de cidades chinesas esvaziadas contrapesam com veemência as afirmações leigas de que tudo não passa de uma nova gripe. Na televisão, imagens de moradores de Wuhan fingindo não estarem ardendo em febre para que não sejam confinados à força pelas autoridades do país. Correm dos termômetros e tentam furar bloqueios. A blitz na rodovia não é de policiais, é de agentes de saúde, todos cobertos dos pés à cabeça por macacões e máscaras, segurando medidores de temperatura infravermelhos entre os dedos emborrachados por luvas azuis. Nas ruas da China, todos estão usando máscaras. Não se vê o rosto de ninguém.

Tudo parece ser um sonho esquisito por enquanto. Mas a obsessão do noticiário com o tema traz a estranheza do medo desconhecido para a realidade. Países fecham aeroportos, companhias aéreas cancelam voos, comércios locais são fechados. Já se suspendem planos para férias, aniversários, viagens e eventos de grande porte. Bandas cancelam suas turnês milionárias, o mundo inteiro parece se voltar para dentro. Passo pelas ruas e vejo os bares lotados, os passeios no parque, a feirinha de domingo, tudo normal. Somos ou meramente estamos despreocupados? Há dois dias foi notificado o primeiro caso no Brasil. Comento isso no meu bar favorito no fim do dia de uma sexta-feira. Uma festa de aniversário barulhenta está acontecendo nas mesas ao fundo, alguns casais em banquetas altas estão dividindo garrafas de vinho. Os donos do bar parecem divididos. Um acredita que nada de mais acontecerá, mas o outro, que passa o dia analisando gráficos de crescimento do coronavírus, diz que, a menos que haja um controle rígido dos enfermos nos primeiros dias, será uma catástrofe sem precedentes. Receia que a cidade, ou o país inteiro, entre em quarentena, e que tenham que fechar as portas por algumas semanas.

A realidade se introjeta de fora para dentro, e sentimos, nós três, o peso do real se aproximando. Tentamos imaginar o que será de nós, e quanto tempo isso irá durar. O sol joga seus últimos raios sobre a avenida tumultuada de carros em final de expediente. Sinto que, assim como o sol, também estamos nos despedindo de algo que ainda se agita. Meu pessimismo faz com que olhe para a algazarra da festa de aniversário nas mesas ao fundo com uma nostalgia antecipada, como em flashbacks de filmes de horror. Em momentos felizes, pensamos em nós mesmos. Em crises, pensamos no coletivo. Há também quem pense apenas em si em qualquer momento. O que será de nós é uma pergunta estranha, não costumo fazê-

-la com frequência, e me assusta pensar em um destino coletivo diante da minha incapacidade em compreender tamanha vastidão e pluralidade. Vamos todos adoecer e morrer? Ou a maioria de nós? Discutiremos colapsos potenciais do sistema de saúde, cuidados com transmissão de vírus e medidas sanitárias como discutimos por aí campanhas de times em campeonatos importantes? Perderemos o contato humano aqui nesta cidade que apenas recentemente começou a se desinibir? A possibilidade de voltarmos a ser a Curitiba reservada de outros tempos passa diante dos meus olhos como algo fácil e provável. Trancaremos as portas com saudade de estar lá fora, retrocederemos em nossa sociabilidade? Muitas perguntas como essa vêm invadindo o curso normal dos pensamentos todos os dias.

Costumam dizer por aí que, em algum momento da infância, você saiu para brincar lá fora com seus amigos pela última vez e nem se deu conta disso. Nosso último dia lá fora pode chegar a qualquer momento agora. Com sorte, seremos avisados de antemão.

A distribuição da culpa

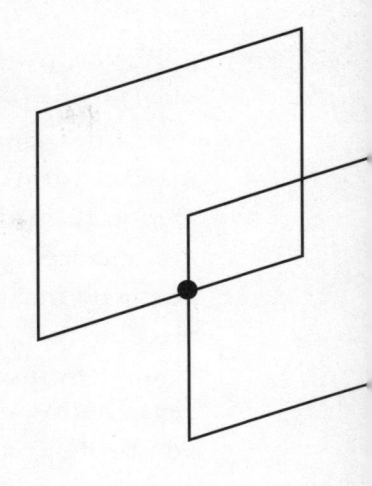

Um vírus é um acontecimento biológico aleatório. Não existe, em sua gênese, intenção, moral ou valor. Como tudo o que é invisível e misterioso, eventualmente passamos os últimos meses tentando atribuir significado ao coronavírus. Também porque sua propagação depende de certo fator humano, rodamos em círculos em nossas salas buscando culpados a quem possamos direcionar nossas frustrações. O mecanismo é conhecido: a culpa precisa ser de alguém. Somando motivo e agente, a quarentena passou a ser um enfadonho jogo de detetive, que é tanto íntimo quanto coletivo, e que precisa ser jogado por quem se recusa a adotar uma postura meramente passiva em meio à inédita imobilidade. Digo que é íntimo e coletivo porque se por um lado construímos nosso caso diante da promotoria da internet, que ou corrobora ou reverte a acusação, de outro é divertimento e expurgação interior, ventilação das frustrações que se amontoam no ano, macias e desajeitadas como uma pilha de chinelos de dedo.

De quem é a culpa, e por quê? Dos chineses em primeiro lugar, alguém aventa, uma guerra biológico-fiscal contra o Ocidente, com quem mede forças e cujos metros quadrados vagos interessam ao gigante asiático. A China lançou o coronavírus para enfraquecer a economia do mundo, assim fica mais fácil comprar tudo a preço de banana depois, acusam com uma certeza que comove e espanta. Mas também é culpa do progresso, dizem outros, que desequilibrou as forças harmoniosas do planeta a tal ponto que Gaia não pôde se conceder mais do que uma pequena nova praga mundial para tentar freá-lo. A alma viva da Terra rejeita seu próprio vírus *Homo sapiens*, que continua a adoecer ano após ano. Os que acreditam apenas em culpados e não em motivações levantam a tese dos governantes cínicos, que dinamitam a credibilidade enquanto afrouxam medidas sanitárias restritivas que impediriam a propagação rápida da nova doença. Ou ainda o mundo globalizado, inevitavelmente conectado para além de qualquer possibilidade de contenção. E assim a nave vai, com outras hipóteses sendo jogadas ao vento para acalmar o medo do desconhecido e para canalizar a raiva sem direção.

Xingar alguém para não ter que xingar Deus. Medir ombros com a ira divina não só parece ingrato como também abstrato demais. Enquanto os golpes de sorte e as coincidências furtivas que trazem benesses não precisam de um autor, às moléstias é preciso que se associe um agente o mais rápido possível. Conviver com o caos não deve fazer bem do ponto de vista psicológico. A aleatoriedade que vem para o mal causa estresse e cansaço, desestimula novos planos e nos mostra mais vulneráveis do que o normal. Nos cumes do desespero, somos capazes de nos convencermos da própria culpa apenas para não deixar um ódio desendereçado. O paroxismo que nos eleva diante dos olhos divinos nada mais é que a suprema admissão de falha diante de uma reação natural e primitiva da psiquê. Botamos a culpa nos chineses, nas fábricas poluidoras de rios, em presidentes e aeroportos, porque vagar pelo mundo sem ter alguém para odiar é o mais ensurdecedor tipo de silêncio.

Viagem à roda do meu quarto

Eu relutei muito em fazer uma crônica da quarentena esta semana. Mal começou e já há uma saturação do tema. Mas, pensando melhor, achei por bem não contornar o incontornável e já tirá-lo do caminho. Quanto antes pudermos voltar às temáticas menos óbvias, melhor.

Entretanto, sobre o que escrever, em matéria de crônica, durante a quarentena? Para além das mortes e do dano psíquico causado pela reiteração do assunto no noticiário cotidiano, a crônica sofre o principal dano colateral do coronavírus. De onde vem a matéria-prima do cronista em tempos de quarentena? Da janela? O que acontece lá fora é por demais panorâmico, por demais tedioso, para qualquer composição. Há um ônibus da polícia civil que passa pedindo para que os cidadãos permaneçam em casa, e é tudo. Não se ouve o barulho das motos e dos carros, mas o trem ainda cruza o trilho ao longo da avenida. As crianças já não jogam bola na quadra do condomínio, e mesmo a revoada dos pássaros das cinco e meia parece mais silenciosa. Vizinhos sem intimidade não veem necessidade de comentar sobre o clima no elevador, e a paranoia impera em encontros como esse.

Do lado de dentro, também nada. A casa junta poeira e logo é limpa. As roupas e a louça são lavadas sem pressa, e o consumo de arte escapista cresce. Quanto mais distante da realidade, melhor. Alguns governos já pedem que a Netflix pare de fazer exibições em alta definição, temendo também um colapso da banda larga. Só trabalho, sem diversão, faz de Jack um bobão, pensaram os governantes. Acabará a banda larga. No hay banda, pensarão os cidadãos. Resta o álcool, o sexo, a leitura, a música, todos passatempos demasiado ativos, sem a passividade a que todos estamos acostumados. Como se anestesiar por completo sem que a febre da cabana se antecipe à febre do vírus? Há quem se mortifique apenas ao cogitar quedar-se sozinho com os próprios devaneios. E aqui não estamos nem entrando na seara capitalista do dinheiro que não se ganha trancafiado.

Algum ideograma chinês já deve ter aproximado crise e criatividade. Novas formas de organização social, manutenção do corpo e da mente, convivência à distância, revalorização do espaço interno. Novas formas de escrever crônica, pois. O pioneirismo abre à faca a forma em detrimento da qualidade. Assim espero. Assim, espero.

O eterno presente

Deixando de lado o problema de Santo Agostinho sobre o tempo, o presente é nossa chaga e nossa cruz. Viver sem planos em época de pandemia requer abnegação, paciência e um controle profundo sobre a ansiedade — uma pandemia anterior e mais perene do que qualquer vírus. Não se pode marcar nada porque não se pode sair, e não se pode querer marcar nada porque não se pode prever o fim disso tudo (supondo que existirá um fim).

Viver apenas o presente, então, o paraíso de qualquer iogue. Basta lidar com os problemas do dia que estão diante dos olhos. No máximo programar um abastecimento de víveres em casa, maratonar uma série ou escolher um dia para lavar roupa. Mas mesmo tudo isso é força do hábito. A vida em seu ritmo repete o mantra dos pôsteres britânicos de guerra, mas a gravidade aleatória da doença abre a fórceps o coração do cotidiano para enfiar seu carpe diem. Dizem sempre que nunca se sabe o dia de amanhã, mas nunca disseram isso a sério até então.

As razões para não abrir uma garrafa de vinho se esfumaçam. A morte espreita, e os bons se vão cedo. A barriga cresce, pode preocupar quem pensa no verão. Mas que verão? As academias tentam reabrir toda semana, dizendo que esporte é saúde. Mas que saúde? O verão que se aproxima não pede corpos consoantes com os editoriais da imprensa especializada. O verão que se aproxima não pode pedir nada.

O habitante do mundo quarentenado é escravo de um ritmo arcaico, deus poderoso que lhe inflige castigos imensos pelo pecado de parar. A mente se agarra aos planos porque o futuro é a única realidade passível de ser computada. O presente é preenchido com os tradicionais passatempos: televisão, literatura, cozinha, exercícios físicos, uma longuíssima colônia de férias da clausura. Os planos viram imediatos: as próximas horas de forno, os próximos abdominais, o próximo episódio do seriado favorito. O futuro é comprimido e trazido para perto. Um futurinho, pequeno e palpável. O único possível para o amanhã turvo que nos aperta o calo da vida.

As coisas que deixamos para trás

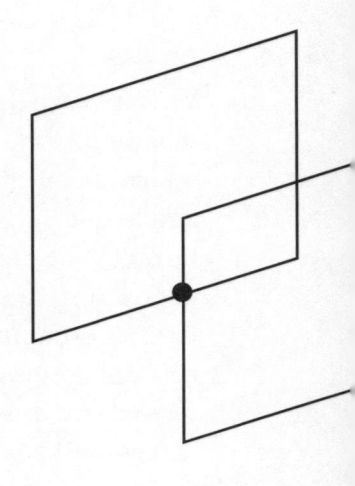

Ir à praia pela manhã. Fazer um churrasco com os amigos. Molhar os pés na beira de um riacho num dia de calor intenso. Saber da existência de um novo café na cidade e combinar de ir até lá com o seu amor qualquer dia desses depois do expediente. Caminhar no parque. Descer uma ladeira de skate. Ficar bêbado na casa dos outros e cantar em uníssono atonal quando alguém inventar de puxar um violão. Os conhecidos, que encontramos por acaso na rua, na porta de um bar ou na fila do cinema. Pegar fila para ir ao cinema. Reclamar do barulho alheio na sala durante a sessão. Caminhar pelo centro da cidade depois do cinema, pensando em onde comer.

Planejar uma viagem para outra cidade. Planejar uma viagem para outro país. Comprar moeda estrangeira e tentar entender, logo nas primeiras horas, o que é barato e o que é caro. Visitar paisagens distantes, tão bonitas que parecem extraídas de um sonho. Evitar armadilhas turísticas, mas cair nelas todas as vezes em que for inevitável. Ser percebido como turista por todos do lugar. Chegar de volta à hospedagem no fim de um longo dia de andanças e visitações, tentar improvisar um lanche com aquilo que parecia de boa qualidade no supermercado e dormir cedo para acordar cedo, mesmo de férias. Se perder de propósito. Tentar espiar a vida cotidiana daquelas pessoas estranhas a nós. Os adolescentes indo para a escola em uniformes que nunca vimos, as comidas de rua que jamais comemos, os pássaros que gorjeiam de formas que jamais ouvimos antes. Comprar suvenires inúteis para dar de presente. Comer o prato típico e beber a bebida típica em uma mesa posta na calçada. Recusar os vendedores de flores, mas dar uma moeda ou outra para quem peça.

Ir ao trabalho. Ir à academia depois do expediente. Marcar compromissos com os amigos, happy hour com os colegas, visitas e jantares com os familiares. A hora do rush. Juntar-se à aglomeração numa festa de rua qualquer, eximido de medo ou vaidade. Dançar em uma boate ou fazer um som com a sua banda. Organizar um show underground. Ir para casa a pé com os amigos ou esperar a feira do dia seguinte. Curtir uma ressaca na rua, com pastel gorduroso, refrigerante antes do meio-dia, as pessoas bem-dispostas andando na direção contrária.

Acordar cedo no sábado para fazer algo na rua, antes que o comércio feche. O vazio das ruas experimentado como exceção, e não como regra. Ler um livro no banco de uma praça, no café preferido. O vento que bate no rosto e não arrasa.

Sobre uma bola de poeira encontrada no canto do quarto

1.
É um amontoado de pedaços de pele, caspa, pelos que caíram do corpo, poeira dos móveis e das paredes e chumaços de tecido. Juntos, formam pouco mais do que uma presença indesejável pela casa, muito embora sua simples existência seja o suficiente para que, com um pouco de ajuda de microscópicas correntes de ar, mais partículas se amontoem. Tal qual uma fita adesiva que usamos para remover sujeira de ternos de linho, a bola de poeira ajuda a concentrar a sujeira da casa.

Sua forma é variada, mas não chega a constituir uma indefinição. Organiza-se de acordo com padrões universais, aplicáveis tanto a moléculas quanto a galáxias. Os espaços vazios são de importância máxima para sua silhueta pouco condensada, como os buracos em um queijo suíço, mas é o entrelaçamento de partículas que a define. Uma constelação do mundo inferior, minúscula, conspurcada, vil e abjeta, agrega tudo sem questionamento, apenas para, num momento posterior, ser recolhida por uma vassoura, um aspirador, um pano úmido ou um desses maravilhosos esfregões que a todo momento procuram atualizar tecnologicamente a antropotécnica da limpeza doméstica.

2.

Há uma cena em *Advogado do diabo* em que o demônio em pessoa adverte seu advogado de que a maior parte da sujeira de um lar é constituída pela própria pele das pessoas, sendo nós próprios a gênese da poluição caseira. Diferentemente, porém, da amputação espontânea que realizamos como forma de manutenção do corpo em salões de beleza e estúdios de depilação, o amontoado de queratina e epitélio que se desprende marca a passagem dos dias e a decrepitude não autorizada. Decaímos a cada segundo e descartamos a sujeira seguros de que nada em nossa essência se altera com essas microscópicas perdas. Para nós, tudo aquilo que nos constitui apenas o é enquanto nos reveste e nos amplia o espaço ocupado no universo. Qualquer dissidência é descartável, asquerosa. Mal nos suportamos fora de nós mesmos.

3.

Na primeira temporada de *Ren & Stimpy*, antes que a censura familiar PG-13 vetasse os teores homoafetivos do casal de desenho animado formado por um chihuahua estressado e um gato gordo e romântico, Stimpy, após uma briga devastadora com seu companheiro, sofre de saudades a ponto de construir uma réplica de Ren a partir de sua própria cera de ouvido. O viés cômico da escatologia ofusca a complementaridade fisiológica que o amor supõe. Stimpy entende Ren como parte de si, e o eu não faz distinção estética, muito menos reserva ao outro os cortes nobres da carne. Quando se ama, o outro é feito de suas entranhas, sua pele, seu cabelo, seu sexo, suas mucosas e secreções, e aquilo que para o realismo sujo do cubano Pedro Juan Gutiérrez apenas se concretiza no ato sexual, em *Ren & Stimpy* também é verdade na ausência e na saudade. A bola de poeira que rola pela casa e acumula pedaços do cosmos, se tornando cada vez maior a partir da substância que outrora foi vida, é uma representação prática de uma Katamari Damashi, o "amontoado de almas" que restaura a forma una do universo a partir de pedaços minúsculos. Galgando grandezas em medidas microscópicas, continuamos sendo feitos de matéria estelar, conforme nos relembra Carl Sagan, e nossas bolas de poeira caseiras um dia integrarão o vácuo mais uma vez. Por enquanto, apenas as varremos e as tiramos de casa, nos extirpando de nossa própria presença. Os maníacos por limpeza, os alérgicos e os de formação espartana acreditam resolver o problema, mas nada resolvem. O homem é o lobo do homem, e pede desculpas pela poeira. Não sabe que um dia, quando não houver mais homens, a poeira reinará sobre o sistema solar e não se ouvirá ninguém pedir desculpas por nada. A poeira nos sobreviverá.

Sobre a luz do sol que bate na parede da sala

O sol do fim da tarde bate na parede branca e emite uma luz alaranjada, morna e amigável na sala. O sol começa a se esconder no horizonte, mas seus raios talvez precisem de um pouco mais de tempo para dar adeus ao dia. A luminosidade é parecida com a aurora, mas essa não bate em parede alguma do meu apartamento voltado para o oeste. Ainda que batesse, porém, é incontestável que o laranja do arrebol vence o raiar amarelado em qualquer ocasião em que se pese a virtude de ambos.

A luz que vejo batendo na parede me diz que o sol humildemente cedeu seu protagonismo à união das coisas contrárias. Escuro e claro começam a se entrelaçar numa luz indireta, intimista e preguiçosa. A temperatura diminui enquanto as sombras aumentam de tamanho, e o calor opressivo do dia se torna uma inofensiva brisa quente que nos faz esquecer as preocupações com garrafas de água na bolsa, carcinomas, Caladril, painéis fervilhantes de carro e óculos escuros. Enquanto o sol da manhã é uma opressão que se impõe a cada minuto e nos apressa para a vida, o laranja do fim de tarde é humano como nós — se acredita imortal, mas definha gentil rumo à escuridão e cede lugar ao devir. E nos acalma, nos convida à lentidão de sua descendência. Sem essa luz que bate na parede, não haveria a Bossa Nova, os poemas de Eucanaã Ferraz, a torta harmonia de Jobim, o melancólico fraseado de Naima, o gosto do chá sem adoçante, as redes de deitar e a revoada das garças. É uma luz que, antes de devolver ao mundo seu mistério, devolve a poesia, a bondade e a reconciliação.

Todo o momento posterior, entretanto, está irremediavelmente perdido na ideia de finitude. O desaparecimento da luz laranja na parede nos lembra do passar do tempo e do fim de mais um ciclo. Alguns ancoram esse memento mori a um único dia, geralmente o domingo, ou à música-tema do Fantástico, ou o que quer que os lembre do crepúsculo pessoal que se aproxima. E o momento anterior ainda é nada, uma nesga de escuridão que não somos capazes de enxergar em meio a tanta luz, e uma luz que nos furta a subjetividade, de maneira que nenhum segundo pensamento é direcionado ao onipresente astro rei. Existe apenas um momento em que o sol nos abre sua dualidade, e esse momento aconchegante deve ser apreciado de forma lenta, cayímmica-amadiana, com uma bebida em mãos, e com o espírito leve. Tudo antes e depois disso não permite um diálogo sóbrio com as forças cósmicas. Antes, uma água; depois, quem sabe, um conhaque para ficar emocionado como o diabo. O presente momento, porém, é eterno, waldenesco. A luz alaranjada que bate na parede no fim da tarde é nossa única e franca conversa humana com o invicto sol.

Sobre abrir uma garrafa de vinho

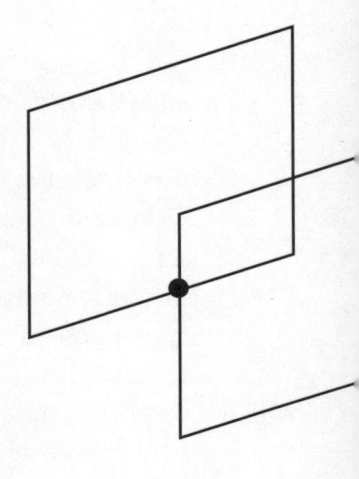

O vinho, bebida tão companheira, experimentou seus quinze minutos de popularidade no Brasil durante a pandemia. Dados do setor estimam um aumento de mais ou menos setenta por cento na litragem que desce pela goela de concidadãos sedentos — aumento esse impulsionado pelo comércio digital, pela ansiedade com acesso a cartão de crédito e pela infinita solidão, sentimento estranho a um povo gregário como o nosso. Assim como o papel higiênico, os enlatados e a água, também as garrafas de vinho foram elevadas à condição de alimento estocável por quem antes tinha o incompreensível hábito de comprar uma de cada vez.

Território tropical da cerveja aguada e da aguardente açucarada, o Brasil tinha pouco a ver com a solidão engarrafada do vinho. Como no resto da América do Sul, também aqui a singularidade bacante começou a ser produzida com propósitos litúrgicos. Sem o sangue de Cristo, parecia impossível trazer o bom selvagem para a filosofia da culpa e da vergonha. Da mesma forma, a ligação direta com o divino ficava custosa com a garganta seca e as faces sem cor. Para os católicos, a comunhão é uma festa cerimoniosa, um momento individual em meio a uma multidão de fiéis que experimentam, cada um à sua maneira, o mistério da experiência em seu íntimo. Uma festa sem vinho não é festa, diria o Papa Francisco séculos após Brás Cubas cavucar o improvável solo santista disposto a fazer dessa terra um imenso carnaval, tanto para o povo de Cristo quanto para os pagãos.

Não sem certa curiosidade observo que o catolicismo, assim como algumas doutrinas orientais, também tem suas ramificações isolacionistas. A poucos quilômetros de onde vivo, há um mosteiro trapista — a mesma ordem famosa na Europa por suas cervejas, embora estes daqui só produzam geleias e pães. Lá, no alto de uma colina, os monges procuram o silêncio e a solidão para falar com Deus. Ora, o vinho ou a solidão eletrificam a fibra ótica do pai celestial com compreensível paralelismo, e qualquer vivente que sorva sozinho os setecentos e cinquenta mililitros de uma boa garrafa consegue compreender a tríade.

Vazio é solidão, solidão é pureza, a pureza é divina e Deus é vazio como nós, cantou uma banda de rock alternativo certa vez. A quarentena deu ao brasileiro, folião vocacional, a oportunidade de compreender o vinho, e o estar só e a entidade superior que comunga com os dois. Na sala de estar, absolve o pecado da preguiça e do passar inconsequente das horas, abraça sem julgar a alma atormentada pelo desejo de vida não correspondido. Na cozinha, é a santíssima trindade: divertimento, harmonização e ingrediente. No corpo, é o estimulante da carne em Eclesiastes, merthiolate da alma, descanso para o cérebro que está mal. O ato de abrir uma garrafa de vinho em um dia da semana qualquer — e não só aos fins de semana, como querem os moralistas e os diligentes — é a aceitação da nossa mortalidade e da nossa humanidade falha, é ancorar-se ao presente e ao chão com o espírito diáfano de quem se sabe pequeno. É bater cabeça como quem está preparado para aceitar a miração ou a peia, o que vier, se vier. Beber um vinho é contemplar o deserto dentro de si e a força criadora inalcançável.

"Pois onde se reunirem dois ou três em meu nome, ali estou eu no meio deles", é possível ler no capítulo 18 do livro de Mateus. Olho para a taça e a garrafa. Dois. Comigo, já são três, e o Deus da solidão opera seu milagre no nosso interior. No do vinho, evolui com ar os compostos químicos e biológicos que trazem a boa forma da sua maturidade; em mim, acelera o crepúsculo das preocupações e traz a longa noite de paz que um habitante involuntário da clausura não deveria conhecer com tanta intimidade. "Dai vinho aos amargurados de espírito. Que bebam, e esqueçam da sua pobreza, e da sua miséria não se lembrem mais", dizem os Provérbios. Pai, passa pra cá esse cálice.

Sobre o ato de maratonar séries de tevê

Os episódios duram vinte minutos, alguns um pouco mais do que isso. O desenvolvimento dos personagens ocorre em um tempo mais do que suficiente — mesmo para um mau roteirista. Ninguém tem pressa. O intuito do programa não é manter um ritmo, mas suspender o passar das horas. A televisão é uma droga dura. Ainda mais dura do que a nicotina, que só se define por sua presença ou ausência no organismo, o sofrimento ou a recompensa, como diria Houellebecq. A televisão não tem recompensa, é o sofrimento do Real (aqui em maiúscula, porque fica bonito acenar para Lacan nessas horas) contra o sofrimento de se embotar diante de algo que não deixa dúvidas sobre seu vício ou seu malefício. Exposição passiva a luzes e sons, esses estímulos vagos pelos quais somos atraídos, e dispositivo garantidor do vácuo neutro de baixa atividade afetiva.

Mesmo os episódios de vinte minutos têm uma orientação difusa, procurando serem compostos, cada um, de pequenos arcos narrativos, historinhas que se abrem e que se fecham sem maiores consequências para o quadro geral. Isso tranquiliza, desobriga o foco e também sugere o caráter inofensivo do passatempo. É tudo parte da dança sedutora de luzes que deseja fundir homem e máquina. O método Ludovico, de Burgess, é desnecessário, eu e outros tantos bilhões nos voluntariamos para o experimento. Fechamos a cortina para que a luz da tevê seja o deus discricionário que deseja ser. A vida lá fora já não interessa — e que vida? Do outro lado da cortina, só existe o medo, os espaços vazios, a obrigatoriedade da máscara e do álcool em gel, as camas de hospital ocupadas por corpos que definham a cada dia e os malucos inconsequentes que não se deixam abalar por nada disso — de tudo mencionado, o pior.

O dia se despede aos poucos, e o sol explode o céu em uma paleta psicodélica de cores. O vento sopra a cada hora mais gelado, os pássaros fazem suas revoadas porque não sabem que se trata de um domingo, a noite é silenciosa. É claro que nada disso importa. Levanto do sofá e desisto da atividade do dia não por cansaço, mas porque a consciência da culpa pela atividade já é insuportável. Olho as montanhas de livros que tenho em casa a serem lidos, leio as mensagens de conhecidos que me procuraram nas redes sociais nesse meio-tempo, a pilha de louça também continua lá. Mas não quero lidar com nada disso por ora. A tevê me exauriu de energia e de vontade. Na cama, os olhos fechados percorrem as pálpebras escuras rapidamente, como se quisessem continuar a ver, como se buscassem algo que tirasse da frente imediata a solidão dos próprios pensamentos. O despertar do transe é doloroso e causa um choque séptico na mente amortecida. Durmo chutando as cobertas e desperto muitas horas depois como se não houvesse dormido nada. As ruas ainda estão cheias de medo e espaços vazios. Fazer o quê? Esquento a água para um café e assisto mais um episódio.

Sobre um ciclo de máquina de lavar roupa

Minha mãe disse que seria bom ter uma máquina de lavar roupa de dez quilos para poder lavar edredons quando precisasse. É verdade, lavei edredons nela, mas muito pouco. Poderia trocar o excesso de espaço pela inconveniência e preço de uma lavanderia a cada não sei quantos meses, mas agora o que coloco na máquina são pouco mais de doze pares de meias, duas cuecas e uma camisa — somando a quase totalidade das minhas roupas brancas.

Pensei em escrever uma crônica sobre um ciclo de máquina de lavar roupa: observar a gênese da lavagem, a água que sobe, para, turbilhona e desce duas vezes, o tambor que gira a uma velocidade fatal para centrifugar, o excesso de água que escorre das roupas coladas às paredes da máquina pela imensa velocidade com que são arremessadas para fora do centro de rotação, o súbito silêncio que invade a casa quando já não se ouvem água corrente, enxágue ou centrífuga. O silêncio que avisa contra o barulho que pede paciência. Disso tudo, extrair algo para além do ato em si. Extrapolá-lo, hiperbolizá-lo, como é meu costume quando quero tratar de paralelos a partir do exemplo. Mas a verdade é que enquanto vejo as meias boiando em uma água mais ou menos turva de sabão e sujeira, nada me vem. Não há poesia ou filosofia na manutenção das roupas limpas como eu acreditava — ou, se de fato há, não as alcanço. Talvez a poesia do mundo já não seja mais a mesma e eu, por minha vez, também não seja mais o mesmo. Os braços dos meus olhos já não abraçam tudo o que veem com o mesmo carinho de antes, e não afagam mais a fenomenologia da quarentena como eu quis um dia me propor. Os dias parecem a sopa de sabão e sujeira que sobe e desce dentro da máquina de lavar. Difícil distinguir o que é produto de limpeza e o que é produto da sujeira dos dias, o que faz bem e o que faz mal. Os referenciais psicológicos se diluem em uma nova forma de organização da vida que entende o fora como perigo e o dentro como angústia. Vamos todos nos lamentando aos poucos, como o sertanejo de Gil, e vir do cerrado já não é mais essencial. Sou um desgarrado, como meu próximo, num rebanho disperso e acuado, apreensivo e ansioso.

    As meias se sujam no meu corpo, que se suja sozinho, dentro de casa. Meus óleos, meu sebo e minha descamação fazem a necessidade de limpeza, mas não a sociabilidade. Continuo tomando banho todos os dias pela mesma única razão. A máquina engole as últimas gotas de água do ciclo num gargarejar frenético que acompanha minha respiração acelerada. Um estalo e depois só o silêncio da casa vazia. Paro de respirar junto com a máquina. Solto um suspiro de sufoco antes de estender as roupas no varal.

A máquina de fazer finlandeses

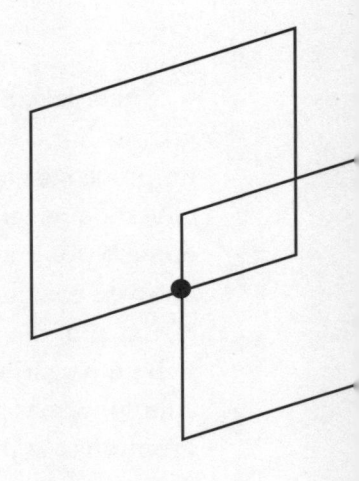

Pelo celular ou pelo computador — nunca por meio de uma ligação — chegam mensagens. Poucas. Perguntam como eu estou. No meio dessa loucura. Que loucura, bicho. Estou me cuidando? Estou me mantendo ativo? Estou bem? A resposta para elas é sempre sim. Mas, se vivêssemos em um mundo seguro para expressar sinceridade, o mais adequado seria dar de ombros.

A verdade é que ficar fechado em casa, completamente sozinho, longe de me deixar maluco ou aflito, me deixou finlandês. Digo finlandês porque esse povo é para mim o ideal humano sem emoções. Enquanto os mediterrâneos se aproximam dos latino-americanos em bile e coração, o finlandês é uma muralha de pedra. Ouvi da boca de um, certa vez, que os russos eram muito passionais. Tinham emoções que eles, os finlandeses, não conseguiam entender. É como estou no momento. 100% finlandês. Alheio e estranho aos sentimentos dos outros e dos meus próprios.

Acordo com uma vontade de tomar café. Moer o grão na hora, coar com calma, ouvir uma música calma no processo, com meu pijama de frio e meu poncho, a coberta que carrego comigo para fora da cama. Depois disso, lá por duas da tarde, sinto fome. Aí começo o processo de cozinhar e lavar a louça posteriormente. À noite, dia sim, dia não, sinto vontade de tomar um vinho. Bebo uma garrafa e vou para a cama. Não porque esteja com sono, mas porque não quero estragar o cronograma. Pronto. São as duas ou três coisas que sinto todos os dias. Assisto um seriado enquanto como e, às vezes, enquanto tomo vinho. Não que seja um bom programa (não é). Mas é fácil e não exige nenhuma emoção da minha parte. É uma espécie de comédia que acontece à revelia da necessidade de causar riso. Recepção passiva em episódios de vinte minutos. Perfeito para um finlandês como eu.

E nessa constante terraplanagem da topografia sentimental do coração, observo os dias indo embora. Tiro uma foto do pôr do sol todos os dias, mas não sinto saudade e nem quero ver ninguém. Sinto falta de tomar vinho nos dias em que não tomo vinho, e isso é tudo. A vida em baixa performance exige pouco e não barganha razão pura em troca de eficiência. Continuo não fazendo nada. Uma vez por semana, preciso escrever para A Escotilha e editar um vídeo para o meu canal no YouTube. Uma vez por semana, a ida ao açougue para comprar a ração que preparo para mim — reduzi minha culinária para apenas dois tipos de prato, que alterno conforme os dias —, idas à portaria para pegar pacotes e caixas de vinho e um ou outro delivery quando não tenho gana de cozinhar. Parei de tocar violão e não consigo me concentrar em um livro que seja. Sou a moto em marcha lenta parada na garagem, estalando devagar o motor como se esquentasse para uma partida, mas sem partir de fato. Gasto pouca gasolina.

Não se preocupem, estou bem. Ou melhor, estou finlandês. Não sinto tristeza, nem raiva, nem solidão, nem frustração, nem felicidade. Sinto fome, vontade de café e vinho. Mas vinho é dia sim, dia não. A barba e o cabelo crescem, a vaidade vai embora na bruma dos dias, não me importo. Resta saber se ainda guardo alguma latinidade para as ruas. Ou — o que é pior que tudo — se é tudo, para citar o poeta.

A panificação da solidão

Vejo relatos distintos brotando na internet, aqui e ali, de como as sociedades administram suas quarentenas. Uns poucos malham em casa, outros muitos bebem, alguns que conseguem manter a sanidade aproveitam para colocar a leitura em dia, etc. Mas o paulistano de classe média, de longe o mais midiatizado tipo de brasileiro que existe (talvez em empate técnico com o gaúcho), parece estar desenvolvendo uma patologia inusitada: a projeção das dores do confinamento na confecção de pão caseiro.

Da hora em que se acorda até a última pipada na pedra de crack das redes sociais, fotos de pão explodem na tela. Brancos, pretos, em blocos maciços e esfarinhados numa mesa de preparação que aparenta ainda não ter sido limpa por falta de tempo. É preciso que haja farinha por todo lado: depois de eras geológicas, cria-se enfim um novo arco compreensivo para a expressão "colocar a mão na massa". Uma espécie de ansiedade por reciprocidade, a devolução da produtividade ao mundo em um momento de estagnação cultural e fabril. Como crianças eternamente presas na fase anal descrita por Freud, paulistanos buscam fortalecimento psíquico através do controle de suas pequenas produções. Todos os outros passatempos parecem se desarranjar diante da nova ordem das coisas. Chega da diversão passiva, é preciso criar diante do pesadelo da ausência de alimentos, ou de sua má distribuição, para citar um fenômeno mais comum durante epidemias.

A agricultura de apartamento parece insuficiente, e a pecuária intensivíssima é barrada não só, novamente, em nossa limitação espacial, mas também pela ética animal que avança alguns minúsculos passos graças ao nosso novo entendimento moral sobre o que seja confinamento. Resta a transformação do bruto em refinado. Paulistanos — e outros brasileiros também, sabemos quem estabelece a cultura de classe média no país — correm aos armazéns, testam receitas com diversos tipos de farinha em complexa mistura, reclamam do súbito desaparecimento de fermento levain das prateleiras especializadas e, solitariamente, se entrelaçam na grande psicose coletiva da panificação da solidão.

Que a culinária tenha propriedades curativas e terapêuticas, qualquer romance de Jorge Amado já provou. A quarentena torna necessário experimentar uma nova lentidão da cozinha, sem que isso debilite o orçamento. Duas horas por dia é pouco, mas o que fazer se tudo é dispendioso? Um ossobuco de três horas no forno é um prejuízo financeiro incomensurável em épocas de retração econômica. A operação do tempo sobre o pão, diferentemente, não é físico-química, mas biológica, e carrega em si o tempo da vida — aquele que existe para fora da lógica de consumo externo e que entendemos como natural.

A massa descansa como nós: fervilhando de vida e com desejo de expansão, mas ainda circunscrita ao mesmo espaço. É amassada e modelada para, aí sim, experimentar a alquimia da temperatura. Mais uma vez a fase anal: a demonstração de posse e a necessidade de se livrar daquilo que não é necessário — a energia dos dias é gasta toda dentro do lar. Tira da forma, bota na mesa, tira a foto, expõe a criação ao mundo. Eis aqui minha solidão: resultado de meus dias, meu suor, minha energia, meu tempo e minha alquimia físico-química-biológica. A diferença entre outros pães e este pão é que este é meu por inteiro, assim como a minha solidão é minha por inteiro.

Amassar a massa do vazio dos dias é o quinhão de cada um durante uma quarentena.

O sono exausto

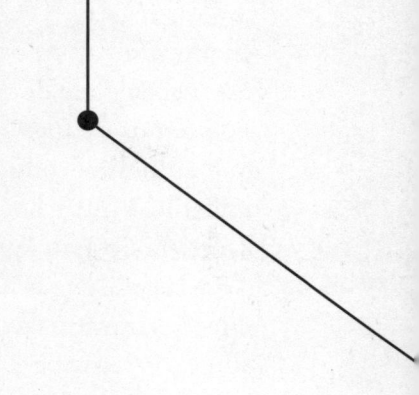

Ela passou as últimas doze horas isolando sua pele do mundo. Luvas, máscara, faceshield, macacão, os óculos embaçando e gotejando o suor condensado dentro daquilo tudo. Deixou o hospital por volta das sete. Todo aquele protocolo de limpeza, os cuidados para não deixar as roupas vulneráveis, o sabão que esfrega por entre os dedos com avidez, a fé naquela junção de sal e gordura para se proteger por mais um dia.

Chega em casa e dorme com os pássaros cantando lá fora, o barulho de máquinas de obras que não param nem em meio a uma pandemia. Betoneiras, britadeiras, um ruído difuso e genérico de pancadas que não consegue precisar com a cabeça no travesseiro e a exaustão tomando de assalto as funções motoras. Tudo nunca para. Dorme um sono pesado que desconsidera a sonoplastia, acorda desorientada e melancólica, a luz gelada do sol de inverno passando por uma fresta da cortina faz duas linhas na parede. Lembra do garoto. Intubado e inconsciente, morreu de bruços aos vinte e nove anos e sequer teve capacidade de antecipar o que quer que fosse. Mexe. Põe ponto de fuga na ilustração tridimensional da vida que emoldura todo santo dia quando coloca os pés no trabalho. Vinte e nove, nem trinta. Deu entrada com uma camiseta do Foo Fighters, a última roupa que escolheu. Aquela camiseta fica em sua memória. Um traço das predileções musicais e da personalidade que o paciente deixou escorregar para dentro daquele purgatório em vida, um obstáculo diante de sua fraca impessoalidade profissional. Gosta da banda, foi num show uma vez. Faz associações desnecessárias que, a essa altura de sua jovem porém vivida carreira, já deveria ter deixado de lado. Não consegue, até pela idade próxima. Mexe. Com movimentos lentos e anestesiados, faz um café para acordar.

À noite toma um banho, se arruma. Calça jeans e camiseta preta por baixo do longo casaco carmesim de lã. Os plantonistas marcaram uma pequena festa particular na casa de um deles. Pensa no caráter antipedagógico disso tudo, médicos fazendo uma festa quando ela mesma não gosta nem de pensar nas aglomerações que ocorrem à revelia dos conselhos de saúde e dos órgãos executivos, frouxos com toda a questão. Faz um esforço de autoengano para dizer a si mesma que merece uma brecha na rotina massacrante de vida e morte. Além disso, a maioria ali já pegou a doença e está imune. Ela é uma das raras exceções, mas precisa sair. A carona passa e ela entra no carro ainda com a lembrança da camiseta do Foo Fighters. A melancolia começa a se dissipar quando entra na casa do amigo. Apesar de só ter quatro pessoas lá dentro, a festa já começou. Garrafas de cerveja já foram esvaziadas, o cinzeiro coleciona algumas bitucas, amendoim e tábua de frios devidamente beliscados na mesa de centro. Repara em um aparelho de caraoquê ligado à tevê. Fica subitamente emocionada. Gente! É quase como a vida de antes, mas agora espremida numa irrealidade que ela tem dificuldade para abarcar fora do âmbito do hospital. Os últimos dois convidados chegam alguns minutos depois.

O álcool deixa todos mais à vontade. Desaba no sofá com uma cerveja na mão. Corona Extra, o senso de humor do anfitrião a diverte. Brindam todos. O dono da casa comemora a alta que deu a uma senhora de setenta e dois anos, internada na UTI há pouco menos de três semanas. Quando você olha no olho da morte e vence, tem que beber pra comemorar, diz ele. Alguém passa um baseado e ela bafora a fumaça para cima enquanto todos cantam *Evidências*, de Chitãozinho e Xororó, no caraoquê, muito embora só um deles esteja com o microfone na mão. Faz uma performance carismática de *Torn*, da Natalie Imbruglia, alguém inventa de fazer mojitos, ela vai ajudar.

Bate a fome e decidem pedir três pizzas salgadas e uma doce, com coca-cola. Um baseado diferente passa por sua mão, e já sente o formigamento gostoso nas extremidades. Alguém canta Cássia Eller. Depois Tim Maia, depois Bon Jovi. Tenta ser uma boa convidada e recolhe algumas garrafas pela casa, derruba uma que não se estraçalha, mas arrebenta no fundo. Deixa isso aí, diz o anfitrião com um sorriso leve de quem também não quer pensar em trabalho de nenhuma natureza no momento. É uma pausa na matança, hoje não existe coronavírus. Só hoje. Em meio à confusão do cérebro intoxicado, lembra do paciente que perdeu. Da camiseta. Procura uma música do Foo Fighters no catálogo, para cantar, mas não acha. Encontra uma versão do YouTube, coloca *My hero* e dedica aos colegas antes de cantar tudo errado e se perder no tempo e na melodia. Não importa. Todos sabem por que estão ali, e celebram a atonalidade da cantoria.

O céu está num tom escuríssimo de azul quando decidem ir embora. Ela nem percebeu quando tirou um cochilo no sofá ao som de *Primeiros erros*. É puxada pela mão do amigo, que a coloca no banco do carro e a deixa na porta de casa. Pergunta se está tudo bem. Está. Chuta as botas quando passa da porta da frente, se enrola no pijama contra a vontade de dormir com aquela roupa mesmo e desaba de exaustão na cama. Os pássaros estão cantando, mas nem a mais infernal sinfonia da engenharia civil a impediria de fechar os olhos.

Um mundo de máscaras

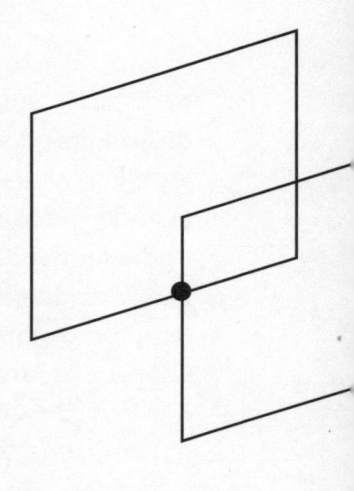

Mochila, chaves, celular, carteira, máscara. Natural como se sempre tivesse estado ali, ao alcance da mão na hora de sair de casa. Não embaça os óculos de grau, mas os óculos escuros, sim. Para piorar, dificulta a aderência das hastes nas orelhas. Os óculos caem no chão se olho para baixo vestindo a máscara. Como só uso óculos escuros fora de casa, não olho mais para baixo fora de casa. Acostumei a olhar para frente, acostumei a olhar todos de máscara nas ruas, nos mercados e farmácias. Não consigo lembrar de uma época em que as pessoas não usavam máscara na rua. Quando vejo o rosto completo de alguém, estranho. Depois sinto uma raiva pequena. Sinto que quem não usa máscara na rua quer chamar a atenção, mostrar que é diferente, superior, imortal.

Esqueço que estou de máscara quando chego em casa. Começo a preparar o jantar e lá pelas tantas lembro da máscara no rosto. Tiro, com uma vergonha que não tem direção. Não há ninguém por perto para me ver desnecessariamente de máscara em casa. Esqueço que estou de máscara quando coloco o capacete e vejo tudo — óculos e viseira — embaçar. Esqueço que estou de máscara quando vou tomar uma água no trabalho, quando escovo os dentes depois do almoço, quando sorrio para alguém na rua. Aí lembro, e torço para que meus olhos tenham feito o trabalho que meus lábios esticados por baixo de um pano escuro desempenham inutilmente.

Percebo que, lentamente, começo a achar o rosto humano uma aberração, uma indecência. Algo que deve permanecer no cinema e na televisão, assim como tiros e explosões. Ou algo muito íntimo, reservado para amigos próximos, familiares e amores. A máscara é a nova camiseta, usada no calor por convenção e decência, o respeito pelo próximo. Sem ela, somos mais selvagens, menos sensíveis, menos humanos. Diferenciamos nas ruas o neandertal autointitulado do *zoon politikon*, aquele que entende a teia inextrincável em que vivemos.

Sempre vi os japoneses usando máscaras em imagens das ruas de Tóquio. Acreditei, no começo, se tratar de um sistema imunológico fragilizado, mas alguém acabou me explicando que os japoneses usavam máscaras quando estavam doentes, para não espalhar a doença para os outros. Percebi então que já não vejo alguém gripado na minha frente há um bom tempo e me dei conta da brutalidade em que consiste a gripe explícita, o nariz escorrendo e a tosse sendo abafada apenas com o punho fechado diante da boca. Talvez esse seja um costume considerado altamente anti-higiênico no futuro, como foi despejar baldes de merda pela janela na Idade Média.

Vejo também a aderência às máscaras como uma nova forma de expressar a personalidade. Máscaras de times de futebol, com temática geek, padrões militares ou estampas vívidas botam a população à procura de fazer moda em meio à pandemia. Já não imagino uma sociedade sem máscaras. Uns reclamam sobre a dificuldade na hora de fazer exercícios, outros, sobre os óculos que embaçam, a barba que amassa, as orelhas que machucam. Mas vejo o mar de máscaras nas ruas e constato: tudo se adapta em nome da vida que segue.

Sábios e paranoicos

Não há um dia em que a imaginação não seja acometida pelo vislumbre de como seremos daqui para frente. E, talvez mais importante, de como nos lembraremos dessa época. É óbvio que este estado de imobilidade é passageiro e que algo na história pode ser acelerado por essa crise. Sendo assim, o que seremos? Que tipos de psicoses, paranoias e perversões passaremos de forma atávica a nossos filhos? Psicoses, paranoias e perversões que neste exato momento estão brotando em nosso inconsciente coletivo constituirão uma nova geração de jovens no futuro que, por sua vez, moldarão o mundo ao sabor de suas próprias realidades subjetivas, mas também à sombra de nossos erros.

A aids moldou a maneira da minha geração de ver o sexo. Antes dela, não havia tanto uma noção de dano e perigo mortal no sexo. Já existiam as doenças venéreas, mas nenhum sexo casual poderia ser uma sentença de morte como passou a ser depois que Larry Clark escancarou a realidade no filme *Kids*. O caso Monica Lewinsky, as denúncias do movimento #MeToo e os estudos sobre a via sistêmica do patriarcado na cama também deram ao sexo uma dimensão de perigo social. Exposição, culpa e politização do sexo.

Perguntei a um amigo meu, gay, usuário contumaz do serviço de michês, se ele não temia ser morto por um deles, como um famoso escritor de Curitiba na época, assassinado com uma facada por conta de um valor irrisório. Ele disse que temia, muito mais do que a facada do michê, a filmada do michê, uma exposição chantagista que poderia pôr em risco sua carreira e imagem social. Ele não está errado. Para nossa geração, o sexo é, antes de tudo, um momento de vulnerabilidade atroz, com infinitos desdobramentos trágicos. Não espanta que haja uma geração inteira de japoneses para quem o sexo é excessivamente trabalhoso e nascente de frustrações e traumas para a vida, de modo que preferem seguir voluntariamente celibatários.

Se coubesse a mim a conjectura, diria que seremos assim no futuro, mas em relação aos encontros sociais. A responsabilidade de se apresentar sadio diante dos outros, o medo geracional de aglomerações em contraposição a uma maior apreciação do próprio lar, a vontade de estar junto em contraste com a necessidade de estar só. Seremos as nossas próprias possibilidades de sermos ilha, e buscaremos o encontro como quem constrói pontes intransponíveis.

Novos pudores em relação a abraços e apertos de mão, novos estigmas quanto a manias de TOC e vícios de insalubridade. Seremos, quem sabe, mais limpos e mais medrosos. Temerosos e vulneráveis pelo enfraquecimento da imunização de manada. Talvez nosso medo nos torne paradoxalmente mais propensos a uma nova pandemia. Mas talvez também fiquemos mais sábios depois disso tudo. Sábios e paranoicos daqui para frente. O futuro é sem sal.

Um cotonete no nariz

Antes de existir o coronavírus, o swab nasal e oral poderia ter ficado circunscrito a uma meia dúzia de enfermos azarados. Tarde demais. Nosso inconsciente coletivo agora erige traumas arquetípicos em forma de longuíssimos cotonetes a nos cutucar o cerebelo em meio a filas imensas. Percebemos, tolos, que passamos a existência inteira subestimando a profundidade das nossas fossas nasais, extraindo prazer genuíno do ato de enfiar o dedo no nariz, um de nossos primeiros e mais longevos passatempos. Eis que chega um cotonete para ampliar o nosso precário conceito de tortura chinesa.

A auxiliar do laboratório me avisa que sentirei um leve desconforto. Ora, ora, dona de jaleco branco, eis aqui um filho do pólen que não foge à luta, pensei, inocente, antes do procedimento. Afinal de contas, já virei noites esgotando rolos de papel higiênico, que se acumulavam em bolinhas ranhentas ao redor da cama. Garoto-propaganda dos melhores anti-histamínicos da indústria farmacêutica, este nariz destemido, encarnação da rejeição ao mundo somatizada em rinite alérgica, já bebeu litros e mais litros de descongestionante, e a senhora quer me assustar com esse cotonete? Que venha, foi meu último brado corajoso antes de ser jogado nas cordas. Percebo como me falta experiência nesse campo. Nunca fui cocainômano nem tolo o bastante para deixar um médium me enfiar uma tesoura fossa adentro para alguma cirurgia picareta. Também nunca quebrei o nariz, apesar das brigas e dos tombos de skate que acumulei em outras eras geológicas. Achei que a rinite prepararia meu nariz para o mundo, meu frágil narizinho incomodado com um cutucão mais incisivo.

Mais do que dor, o desconforto gritante me põe uma vontade imensa de dar risada — não sei se pelo absurdo do inesperado ou se algum nervo do riso foi atingido no processo. Gargalho envergonhado diante da mulher do jaleco branco a quem não dei ouvidos, sinto-me louco e inconveniente como um dos loucos de Joaquin Phoenix, ou como Lionel Hampton durante um solo de xilofone. Uma gargalhada esvaziada de sentido, mera reação fisiológica a uma dor incômoda. Algo chegou perto demais do cérebro, penso desesperado quando percebo que a risada demora a passar. Mas logo estou recomposto.

Então começo a tossir. Penso no risco de infectados tossindo suas cargas virais no ar de um laboratório de exames clínicos. Cubro a boca imediatamente com as costas do cotovelo, pensando que posso sair daqui com um resultado negativo e me contaminar nos cinco segundos subsequentes à cotonetada no cérebro. Eu, que desenvolvi alguns sintomas leves de gripe, fui orientado a fazer o exame, mas, estando em isolamento social, corro mais risco de contrair o coronavírus agora do que antes. Estatisticamente, afinal, a maior concentração de infectados está nos hospitais e nos laboratórios. Mais do que ironia, seria a pura expressão da tragicomédia. Onde fui me meter? A moça do jaleco branco me coloca um papel impresso na mão, com login e senha para conferir o resultado daqui a alguns dias. Peço para assoar o nariz em algum lugar e percebo que causei algum tipo de perturbação com isso. Apontam para um banheiro lá fora, num posto de gasolina ao lado do laboratório, onde masturbo meu nariz recém-traumatizado até que se acalme. Saio do banheiro e percebo que, para chegar até lá, passei por uma multidão que aguarda para fazer seus exames do lado de fora do laboratório, todos mais amontoados do que sugere a orientação da atendente que suplica em gritos cansados para que se afastem uns dos outros enquanto esperam. Um deles está encostado na minha moto. Subo nela ao mesmo tempo em que pigarreio. O encostado se afasta num susto de curta duração. Boto o capacete com legítimos desejos de ainda coçar o nariz. Lembro que certa vez li numa revista que a Nasa colava um pequeno quadrado de velcro no interior dos capacetes espaciais para que os astronautas pudessem coçar o nariz. Seria bom ter isso no meu. Na primeira curva, espirro na viseira. Maldito cotonete.

Morte por diversão

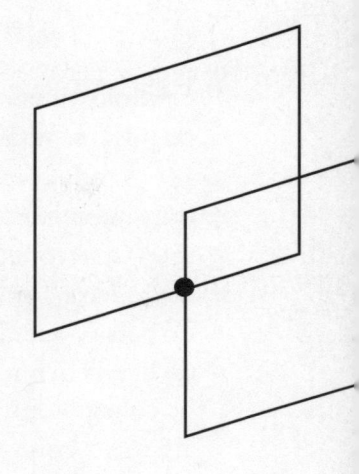

A caminhada até o supermercado ou o açougue do Cristo Rei mostra que o sucesso é antipedagógico. Curitiba, até o momento uma das capitais onde a disseminação do coronavírus estava mais controlada, parece querer desesperadamente perder as estribeiras. Casais andam juntos na rua sem máscaras, senhoras idosas papeiam descontraidamente na calçada, vizinhos se abraçam, famílias se reúnem no restaurante da Av. São José, o boteco lota mesmo sem futebol passando na tevê. Não era, nem nunca foi o medo quem distribuiu as cartas do jogo, mas antes a paciência, que se esgota com o prolongamento da situação indefinida.

O que somos, no meio disso? Cansados de observar da janela do apartamento a vida passar, temos um desejo de normalidade em meio ao qual se camufla a boa e velha pulsão de morte — tônica das relações políticas e sociais do Brasil da última década. Trocamos a paranoia pela intemperança e resolvemos nos abandonar às marés do destino, para que o devir faça conosco o que bem entender. O controle e o poder sobre a saúde não são algo que a maioria possa segurar nas próprias mãos por muito tempo.

A todo momento dietas são sabotadas, descuidos no trânsito aumentam a sensação de caos nas ruas e o autoengano volta a ser o signo sob o qual todos vivemos. Sexta-feira à noite, na Itupava, a garotada se reúne sem dó para paquerar e beber, como se não fôssemos o segundo lugar em número de mortes no mundo, e esse negócio de culpar os governantes pela falta de política pública fica até meio bobo diante da nossa própria incapacidade de autogestão de crise. Não há maoísmo suficiente nas veias da autoridade que nos obrigue ao confinamento.

Temo que o insucesso, por outro lado, tampouco possa fazer algo por nosso decadente senso de cidadania. O pudim que se emenda na batata frita que não deveria ter sido comida para começo de conversa é necessário para afirmar o ponto da derrocada na dieta, a admissão da derrota do autocontrole. Da mesma forma, é muito provável que festejemos amontoados em bares e restaurantes nosso fracasso como cidade quando os leitos de UTI forem completamente ocupados e o mundialmente famoso cortejo de caixões em caminhões do exército tomar as ruas. Somos naturalmente propensos à ludicidade da tragédia, damos risada de qualquer coisa, e os milhares de mortos a que famílias dão adeuses todos os dias por conta do vírus são a mais nova piada no cabedal de improváveis anedotas brasileiras. Os cautelosos morrerão pelo relaxamento dos displicentes, mas os displicentes sequer trarão alguma culpa em seus últimos lampejos de vida mental. Servimos para muito pouca coisa, mas, mais especificamente, para duas: rir e morrer.

A carnavalização do novo normal

Há, no Brasil, uma noção muito vaga do que seja a culinária japonesa. Sabe-se que consiste em peixe cru, arroz e alga, e geralmente a alga e o arroz enrolam o peixe, mas há outras combinações possíveis: o arroz enrolado pelo peixe, o arroz por cima e o peixe embaixo, com a alga amarrando tudo, ou o peixe por cima e o arroz por baixo, a alga por dentro ou por fora. Mas o conhecimento para por aí. O brasileiro aprendeu sobre a culinária nipônica pela observação, e não pelos rudimentos, de modo que os elementos que a compõem flutuam no ar do inconsciente coletivo, e o resto pode ser inventado. É daí que vem a culinária nipo-brasileira, uma variante caótica e gordurosa da original. Um morango e um pouco de Nutella enrolados no arroz que, por sua vez, é enrolado na alga é algo facilmente encontrado em restaurantes japoneses no Brasil.

Convenhamos: oferecer arroz com Nutella para alguém fora de um contexto muito específico é ultrajante para qualquer um. Mas basta que se adicionem alguns hashis, alguns ideogramas, uns potinhos de shoyu e que se monte a excêntrica combinação de uma determinada maneira, e tudo parece se normalizar. A decoração de um restaurante nipo-brasileiro mesmeriza e suspende a realidade, e tudo passa a ser permitido. Enrole manga no arroz, coma peixe com chocolate, passe cream cheese num pedaço de polvo cru, abandone Deus da mesma forma que Ele te abandonou. O que a princípio era mera invencionice disruptiva passa a ser um instrumento de normalização de uma perene carnavalização dos valores culinários daqui e de lá. Isso porque não há referência, perdem-se as bases alicerçantes em nome de um novo projeto, uma adaptação mal-ajambrada que fagocita elementos sem hierarquia para vomitar um arremedo de prato, quase como se um robô que aprendesse nossos gostos para comida resolvesse criar uma que unisse ingredientes que jamais poderiam se misturar.

Digo isso porque se vive, em tempos de pandemia, o chamado novo normal, esse oximoro velado. Se é novo, não pode ser normal. Se é normal, precisa parecer normal, sentir que é normal. O novo normal é nosso sushi com Nutella de cada dia, também ele uma suspensão da realidade em nome da sobrevivência macambúzia. Nosso novo alimento da vida é um arremedo do anterior, e ultraja fora do contexto. Entramos no jogo a contragosto, mas, tal qual na festa de aniversário daquele amigo que resolve te chamar para um restaurante japonês para comemorar, você engole tudo de má vontade, em nome de um bem maior, em nome da convivência, e assume o ônus de viver em sociedade.

No novo normal, tudo é permitido: viver de delivery, ouvir conselhos médicos de políticos, obedecer um toque de recolher, cumprimentar os amigos de longe, sem nunca mais dar um beijo no rosto, um aperto de mão ou um abraço. Se trancar em casa, chorar sozinho todo dia, adotar um animal, aprender a panificar, lavar embalagens do mercado, acordar e ir dormir amaldiçoando o presidente da república. Haverá a volta do velho normal ou teremos apenas o pós-novo normal? Os costumes e bagagens que serão carregados para a próxima etapa nos permitirão a distância necessária para enxergar a carnavalização dos tempos de agora? Da minha parte, pretendo nunca mais ver um sushi com morango na minha frente outra vez.

Covid e suas outras vítimas

Lembro de ter visto o escritor Daniel Pellizzari ironizando no Twitter que, após a pandemia, o mercado editorial seria invadido por uma vasta bibliografia ficcional e não ficcional sobre a quarentena. Relatos de pessoas trancadas em casa, as mudanças que a covid-19 causou no mundo e toda a sorte de autoajuda que se seguiria daí. Acho que, naquela época, ele, assim como quase todo mundo, imaginou que o confinamento seria um episódio passageiro, coisa de algumas semanas, e essa percepção é extremamente importante para que a piada seja engraçada.

De fato, tal como a eleição de Bolsonaro trouxe uma série de preocupações aos ficcionistas, imediatamente novos livros começaram a tratar da realidade. A pontuar o momento — algo que a literatura nunca deixou de fazer, afinal. A editora Boitempo continua publicando a coleção Pandemia Capital, com ensaios de filósofos sobre o coronavírus. A escritora Gisele Mirabai publicou o romance *Ana de Corona*, sobre uma ambientalista infectada pelo vírus em meio a outros problemas. Joca Reiners Terron pensa em um artigo sobre o ofício de escritor em meio à pandemia, e Paulo Scott adapta seu tradicional encontro De Modo Geral para o formato de podcast, para continuar conversando com outros autores, de casa. Pellizzari sabia que estava certíssimo, mas talvez não esperasse a rapidez da produção, inversamente proporcional à duração do confinamento.

E eis que chegamos até aqui, até este texto. Eu, que também surfei na ondinha da covid para fazer minhas últimas crônicas — essa difícil tarefa de ler a realidade de dentro do quarto —, já não vejo sobre o que mais poderemos escrever. Que a minha imaginação curta não seja um vaticínio para toda a massa de ficcionistas do meu país, mas é oficial: a realidade atual, o "novo normal", como dizem, é demasiado curto para permitir maiores observações. Claro, poderia continuar ordenhando essa vaca modorrenta e narrar de forma literária o mutirão que fazem no meu condomínio, ou falar da médica do segundo andar que se oferece para renovar receitas de medicamento contínuo para quem não pode sair de casa, ou dizer ainda que não fiquei gripado até agora neste ano, tamanho é o isolamento social e o benefício do uso das máscaras. Mas essa realidade satura muito fácil. Talvez agora recorrer à ficção pura, descolada da realidade, seja a saída. Mas talvez a visão se estreite com a progressiva falta de vivências. A crônica rubembraguiana é, com certeza, uma vítima menor da covid-19, principalmente porque já era uma forma de escrita menor dentro da atual apreciação literária. E tudo bem, as lentes sempre se ajustam às novas miopias.

180 dias

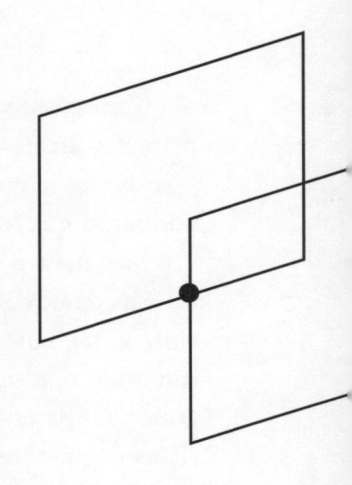

Brinquei com meus editores que o título deste livro deveria ser *A volta ao quarto em 180 dias*, uma junção de *A volta ao mundo em 80 dias*, de Jules Verne, com *Viagem ao redor do meu quarto*, de Xavier de Maistre — dois livros diametralmente opostos em movimento. De Verne, pegaria a vastidão do tempo da viagem; de Maistre, a limitação do espaço. A brincadeira acabou pegando, mas, quando propus o título, não imaginava que completaríamos seis meses de isolamento social sem prognóstico de melhora. Falamos de uma vacina que por enquanto é promessa e de uma imunização de rebanho que não virá sem a queda de muitos corpos. Enquanto cresce o número de curados, o que nos tranquiliza de alguma maneira, também cresce o número de pessoas que relatam sequelas das mais variadas ordens. Problemas neurológicos, respiratórios, motores, o vírus parece recusar o ostracismo do futuro. Deixará uma geração marcada, como a poliomielite, ou será mais lembrado por todo o transtorno à vida social que causou?

Entre os que ainda temem a moléstia, dois grupos. O primeiro anseia pela própria vida, certo de que um PCR positivo teria o mesmo valor de uma sentença de morte, enquanto que, para o segundo, mais confiante num quadro leve para si, pesa a responsabilidade diante da transmissão da covid-19. A aleatoriedade com que a doença ceifa vidas por vezes assusta mais do que a ausência de tratamento, e ser o responsável direto pela morte de alguém, culpa antes assumida principalmente por motoristas negligentes e assassinos confessos, parece ser uma nova e democrática cruz a se carregar. Compartilhamos em nossas mãos sujas o sangue coletivo dos que colapsaram em leitos de hospital ou na rua, enterrados em cerimônias vazias de pessoas e cheias de plástico protetor. Dos pequenos atos individuais aos descaminhos políticos que nos trouxeram a essa ausência de ação pública, todos recebemos nossa medalha de participação.

O resultado é que imaginar, a partir de uma doença misteriosa, novas dinâmicas sociais e geopolíticas deixou de ser a última palavra em invencionice de escritores portugueses ou franceses e passou a ser a distopia mais obsoleta. O atabalhoamento da ação autônoma imediata nos trouxe projeções absurdas, fez circular boatos estapafúrdios e, por fim, acorrentou nossa fé restante na ciência. Mas nunca soubemos rezar por números e, mais uma vez, essa terra viu os seus caírem pela peste que viaja de barco e avião desde os confins do planeta. A única curva que conseguimos achatar é a da estrada torta que nos leva ao submundo.

A imaginação, encurralada na sarjeta do presente, só faz olhar para o passado em conjecturas inúteis agora que

Inês e mais uns tantos outros são mortos. O futuro pós-coronavírus, que nos ocupou a mente em conjecturas mais ou menos lastreadas na realidade, aos poucos vai perdendo sua graça. A única coisa que se quer quando tudo passar é um fim de semana para se perder por completo e tirar de dentro a raiva represada. Transmutá-la em arremedo de amor e inchar as ruas com toques, esbarrões, apertos de mão, beijos e abraços.

Ao autor, talvez fosse bom, irônico, terminar o livro anunciando seu diagnóstico com a doença que a tudo transforma, mas você é duro, José. A garganta inflama duas vezes por mês, o suficiente apenas para manter o bom desempenho da paranoia, mas o resultado positivo nunca chega. Uma tosse alérgica, uma rinite corriqueira, a falta de ar causada pelo sedentarismo e pela barriga que cresce, alimentada pela desistência de continuar qualquer plano enquanto a névoa densa do amanhã não se dissipa. Sintomas que assustam, mas não arrefecem a ansiedade do contágio iminente. Mais dia, menos dia. E nisso um semestre se passou. Quem viveu para ver muito provavelmente preferiria não ter visto nada.

Alan Delazeri Mocellim
Professor do Departamento de Sociologia e do Programa de Pós-Graduação em Ciências Sociais da Universidade Federal da Bahia (UFBA). É doutor em Sociologia pela Universidade de São Paulo (USP) e atua nas áreas de Sociologia do Conhecimento, Sociologia das Emoções e Psicologia Política.

Posfácio
Alan Delazeri Mocellim

As primeiras páginas do livro de Al'Hanati já nos mostram os temas que nortearão a leitura, com reflexões sobre o medo do desconhecido, o acaso, a ruptura com o cotidiano e a necessidade da reestruturação da rotina, temas que trazem a percepção subjetiva sobre um problema objetivo, que é a experiência de uma situação totalmente nova e para a qual as sociedades hipermodernas do século 21 deveriam estar preparadas, mas não estavam: uma pandemia. Nesse contexto, toda aquela confiança depositada nas instituições modernas, como a medicina, o Estado, ou a ciência, se colocam em xeque; nossa própria segurança ontológica, conceito que Anthony Giddens utiliza para descrever o sentimento de crença na continuidade da vida, é abalada, o que nos leva à tensão de tentar reestabelecer essa segurança a todo custo, seja num encontro entre amigos após o trabalho, fingindo esquecer a insegurança, seja no estabelecimento de novas rotinas no lar. O autor retrata, ao longo de suas crônicas, as tentativas precárias de restauração dessa segurança ontológica. Dissociar da perturbação ou anular a perturbação com a ordenação do que nos resta; ambos os comportamentos são respostas ao mesmo conjunto de ansiedades, que são vividas coletivamente mas sentidas individualmente.

A estrutura social é, antes de tudo, repetição e, por isso, uma proteção contra a experiência do acaso. Inseridos numa estrutura social, voltados para o futuro, construímos o sentido de nossas ações e podemos levar planos adiante. Uma estrutura social repentinamente desordenada, dissolvida por um agente totalmente outro, como um vírus do qual pouco se conhece, tem como consequência individual a busca por um frágil sentido que, agora, apartados do coletivo que nos dava esse sentido de antemão, não sabemos bem como reconstruir. Passamos os dias na busca de explicações sobre a pandemia, queremos causas sociais e causas naturais, queremos dar sentido à solidão compulsória. Até mesmo neurose, obsessão e compulsão podem ser respostas ordenadoras frente a um mundo que de repente se vê globalmente desestabilizado por algo desconhecido. Escrever na quarentena, e sobre a quarentena, é também uma forma de ruptura com a passividade, uma ordenação que se volta contra o acaso, é levar adiante a necessidade de explicação — se não das causas, ao menos da experiência que vivemos como o trauma cultural de nossa época.

Na escrita dessa experiência, Al'Hanati rasga a oposição entre indivíduo e sociedade, tornando essa oposição, meramente conceitual, dissolvida. O autor apresenta o estrutural presente no individual, o aspecto coletivo de nossas práticas mais íntimas. A volta ao quarto não é, nesse sentido, uma volta em torno de si mesmo e de seus dilemas pessoais; é uma volta pela sociedade, mesmo que isolado dela. A sociedade aqui é esse espaço da solidão, porque o social está fora, mas principalmente dentro de nós, em nossos dilemas, em nossa personalidade, em nossos questionamentos. Mesmo sozinhos, nunca estamos solitários; esse outro generalizado sempre parece presente. Mas sua reflexão, porém, não se esgota numa metáfora para a inserção do social no individual, pois até mesmo a cotidianidade de um amontoado de poeira, das roupas sujas ou de um raio de sol traz à tona o aspecto cosmológico da experiência de ruptura com uma ordem precedente. A solidão é oportunidade para busca de sentido em um mundo em lentidão, e esse sentido se estabelece na rotina, da qual os ciclos da vida e do mundo são composição. O tempo moderno, progressivo e acelerado, voltado para o futuro, é substituído por aquele tempo ancestral, cíclico, por um eterno retorno do tempo.

Em seu ensaio *Sobre o tempo*, Norbert Elias discute como, na modernidade, adotamos uma nova concepção de tempo, orientado por instrumentos de medida, em oposição a uma temporalidade cíclica, orientada pelo ritmo do mundo natural. Como modernos que somos, não conseguimos viver sem a temporalidade que soma. Nos perturba uma temporalidade que apenas se repete e, por isso, damos um jeito de acelerar esse tempo, de inserir nele a produtividade, porque ligamos nosso próprio tempo de vida à atividade, e a falta dessa atividade nos é estranha e, por isso, fonte de angústia. Os horários que ordenam as cidades ainda são os horários que regulam nossa vida; e é na atividade autoimposta, dentro de um regime de produção instalado em nosso lar, que tentamos reestabelecer o tempo progressivo. Como nos mostra Al'Hanati, cozinhar em casa durante a pandemia, aprimorar a arte da panificação, é a tentativa de reestabelecimento da ordem interior diante do mundo exterior caótico, cuja nova temporalidade nos é estranha e aversiva. Numa sociedade desacelerada, nos obrigamos a acelerar e tentamos continuar nos orientando por aquele velho princípio do reconhecimento individual no capitalismo: o fazer. Novamente, aqui a sociedade está dentro de nós, e não fora.

As crônicas de Al'Hanati acompanham o percurso da pandemia. Enquanto no início se vivia o medo da perda do velho mundo e o anseio pela possibilidade de retorno à normalidade, com o passar dos meses o que temos é negação ou indiferença. A tentativa solitária de reestabelecer a rotina não substituiu a velha rotina, que já nos era automatizada, e mostra que o condicionamento, por reforços e punições, que nos coloca na vida em sociedade desde a infância, não pode ser desfeito de um dia para o outro. O "novo normal" instaura uma nova conduta civilizada, na qual máscaras e distanciamento são fontes de valor social, pois garantem a confiança na manutenção do isolamento. O "novo normal" não nos une novamente, mas nos afasta, traz uma nova clivagem entre civilizados e bárbaros, um novo comportamento regular que, com suas coerções e limitações, é punição contínua e pouca gratificação. Cansados da situação, vemos negação e indiferença serem parte desse "novo normal", sintomas da patologia social da pandemia, ou, como diria

Emile Durkheim, marcas de um estado anômico resultante da degradação da consciência coletiva.

O caminho dessa volta ao quarto em 180 dias nos traz uma documentação subjetiva do presente, mas não se limita a um mero relato da situação pandêmica. O texto integra o subjetivo numa espécie de destino coletivo, trazendo nas entrelinhas reflexões filosóficas sobre o acaso e a solidão. A experiência da solidão, já explorada pelo autor em sua obra anterior, é novamente explorada aqui, em sua radicalidade, como localização subjetiva de algo que é objetivo, exterior, coletivo e coercitivo. O isolamento, que antes associávamos à experiência do monge, do asceta e do erudito, se torna generalizado, vivido compulsoriamente por toda a sociedade, e o autor nos mostra as múltiplas facetas dessa obrigatoriedade que afeta até mesmo os solitários por opção. O acaso aparece como força que dissolve a individualidade; somos indivíduos "pero no mucho", na medida em que somos acometidos de um mesmo mal. Nos identificamos com o que Yuri nos relata; experienciamos, ao nosso modo, situações similares. Mesmo distantes, observando sozinhos a desintegração de um modo de vida, e depois nas tentativas relutantes de voltarmos à normalidade, lidamos com os mesmos dilemas, estamos "no mesmo barco". A grandeza da escrita de Yuri está na construção de uma ponte entre a experiência cultural partilhada e o ajustamento psicológico, pessoal, dessa experiência.

Descubra a sua próxima
leitura em nossa loja online
dublinense.COM.BR

Composto em ARNO e impresso na
PALLOTTI, em PÓLEN BOLD
90g/m², em NOVEMBRO de 2020.